LES BLAGUES DE
toto

5. Le maître blagueur

Scénario et dessin

Thierry Coppée

Couleur

Lorien

DELCOURT

Merci à Valérie pour le ravitaillement.
Merci à Théo, Julien et Antonin pour leurs encouragements.
À mes amis (...).
À Jean Roba pour les plaisirs de lecteur qu'il m'a donnés durant mon enfance.
Thierry Coppée

Mille bisous à ma chérie.
Mille millions de poutoux à ma petite Méloïse
et mille milliards de mille sabords !
Lorien

Dans la même série :
Tome 1 : *L'École des vannes*
Tome 2 : *La Rentrée des crasses*
Tome 3 : *Sous les cahiers, la plage*
Tome 4 : *Tueur à gags*
Tome 5 : *Le Maître blagueur*
Tome 6 : *L'As des pitres*
Tome 7 : *La Classe qui rit*
Tome 8 : *L'élève dépasse le mètre*
Tome 9 : *Le Sot à ski*
Tome 10 : *L'Histoire drôle*
Tome 11 : *L'Épreuve de farce*
Tome 12 : *Bête de concours*
Tome 13 : Super Zéro !
Tome 14 : *Devoirs citoyens*
Tome 15 : *Le Savant fou rire*
Hors-série : *Dix ans ? Quelle blague !*
Hors-série : *Vacances à la blague !*
Hors-série : *Premières farces*
Hors-série : *Le Carnet dénote*

Du même auteur, chez le même éditeur :
• « La Poule aux œufs d'or » dans *La Fontaine aux fables* T. 3 - collectif
• « Ma Forêt » dans *Henri Dès, chansons en BD* - collectif

Retrouve l'univers des Blagues de Toto chez Albin Michel
http://www.albin-michel-licence.fr/les-blagues-de-toto/

www.facebook.com/blaguesdetotobd

WWW.LESBLAGUESDETOTO.COM

Éditeur : Thierry Joor

Dépôt légal : avril 2007. ISBN : 978-2-7560-0568-3

Lettrage : Ségolenne Ferté
Conception graphique : Trait pour Trait

Loi n° 49-956 du 16 juillet 1949
sur les publications destinées à la jeunesse

Achevé d'imprimer en mars 2019
sur les presses de l'imprimerie Lesaffre, à Tournai, Belgique

www.editions-delcourt.fr

Quel temps fait-il ?

5 SEPTEMBRE.
1) Tu lisais
2) Nous avons nagé
3) J'apprends mes table
4) Il mangera à l'éco
5) Vous écriviez la dictée
6) Ils jouent dans l
VOICI TOUTE UNE SÉRIE D'ACTIONS QUE VOUS RÉALISEREZ CETTE ANNÉE ! POURRIEZ-VOUS ME DIRE LE TEMPS UTILISÉ POUR CHAQUE VERBE ?
« TU LISAIS », C'EST QUEL TEMPS, CAROLE ?
L'IMPARFAIT, MADAME !
ET QUI ME DIRA LE TEMPS DE « NOUS AVONS NAGÉ » ?
C'EST DU PASSÉ COMPOSÉ, MADAME !
BIEN, IGOR !
ET SELON TOI, TOTO, « J'APPRENDS MES TABLES », C'EST QUEL TEMPS ?
?
HEU...
DU TEMPS PERDU, MADAME !

OUINNNN !
OUINNNN, OUINNNN !!
OUINNNN, OUINNNN, OUINNNN !!
DIS, TOTO, TU PEUX ME DIRE POURQUOI TA SŒUR HURLE COMME ÇA DEPUIS 20 MINUTES ?
ELLE PLEURE PARCE QU'ELLE NE SUPPORTE PAS DE ME VOIR MANGER MA MOUSSE AU CHOCOLAT !
DE TOUTE FAÇON, ELLE NE SAIT FAIRE QUE PLEURER ! ELLE LE FAISAIT DÉJÀ QUAND J'AI MANGÉ LA SIENNE !
?

Auprès de mon arbre

HÉ, QU'EST-CE QUI SE PASSE ?
ILS VONT COUPER L'ARBRE CAR IL EST TROP GRAND.
C'EST HONTEUX ! OÙ IRONT LES OISEAUX ?
BON DÉBARRAS, ON AURA PLUS DE PLACE POUR JOUER AU FOOT !
ET LES INSECTES, OÙ SE CACHERONT-ILS PENDANT LA RÉCRÉ, TOTO ?

DITES, MONSIEUR, QU'ALLEZ-VOUS FAIRE DE NOTRE ARBRE ?

PEUT-ÊTRE UNE TABLE, DES CHAISES, DES BÛCHES OU DU PAPIER, JE NE SAIS PAS !

QUI SAIT, PETIT, TON LIVRE DE MATHS DE L'ANNÉE PROCHAINE SERA PEUT-ÊTRE FAIT AVEC CET ARBRE ?

DITES, MADAME LA DIRECTRICE, JE CROIS QUE JE NE POURRAI PAS COUPER VOTRE MARRONNIER !
TOUCHE PAS À MON ARBRE !

Perte et profit

TIENS, TU ES PASSÉE CHEZ LE COIFFEUR, MAMAN ?

OUI, PAR CONTRE TOI, JE ME DEMANDE OÙ TU ES PASSÉ ! ÇA FAIT 1 HEURE QUE L'ÉCOLE EST FINIE !

J'AI AIDÉ UN MONSIEUR QUI AVAIT PERDU UN BILLET DE 50 EUROS.

ET TU L'AS RETROUVÉ ?

OUI, MAIS J'AI DÛ ATTENDRE QUE LE MONSIEUR S'EN AILLE POUR RETIRER MON PIED DU BILLET !

NOUS AVONS PRESQUE RETROUVÉ CE QU'ÉTAIENT LES MOTS SOULIGNÉS DANS CE TEXTE. NOUS AVONS CLASSÉ LES ADJECTIFS ET LES NOMS.

MAIS IL NOUS RESTE UNE SÉRIE DE MOTS DONT ON IGNORE LA NATURE !

RAPPELEZ-VOUS, ON EN A DÉJÀ PARLÉ POURTANT ! « JE ME LAVE, TU TE BROSSES », QU'EST-CE QUE C'EST ?

MOI, MADAME, JE LE SAIS !

AH, OUI, TOTO ! ET C'EST QUOI ?

C'EST DIMANCHE, MADAME !

Le vieux fusil

MAMY, MAMY, RÉVEILLE-TOI !
?

QU'Y A-T-IL, TOTO ? POURQUOI HURLES-TU COMME ÇA ?
TU VEUX BIEN PRENDRE LE VIEUX FUSIL DE PAPY ?

VOILÀ, TOTO, MAIS CE N'EST PAS UN JOUET, TU SAIS !

JE NE VEUX PAS JOUER, JE VEUX JUSTE QUE TU LE METTES DE CE CÔTÉ-LÀ.

ET POURQUOI DE CE CÔTÉ-LÀ SPÉCIALEMENT ?

PARCE QUE PAPA NOUS A DIT HIER QUE LE JOUR OÙ MAMY PASSAIT L'ARME À GAUCHE, ON PARTIRAIT AUX SPORTS D'HIVER !
C'EST CHOUETTE, NON ?
SUPER, TOTO !
COPPÉE 10/05.

Il effort fatigué

RONFLZZZZ, RONFLZZZZ ...
?
exercices dans le cahier de géométrie n° 3, 4 et 7, page 23

TOTO, JE CROIS QU'IL EST TEMPS QUE TU TE METTES AU TRAVAIL ! TU VAS ENCORE TERMINER LE DERNIER.
?

OOUAAHH, JE SUIS BIEN TROP FATIGUÉ AUJOURD'HUI POUR TRAVAILLER, MADAME !

MAIS, TOTO, LE TRAVAIL N'A JAMAIS TUÉ PERSONNE.

LA TERRE
OH, JE SAIS, MADAME, MAIS JE PRÉFÈRE NE PAS PRENDRE LE RISQUE D'ÊTRE LE PREMIER !

L'autotomobile

OLIVE, OLIVE, ÇA Y EST !
ECOLE IV

MON PÈRE EST D'ACCORD POUR QUE J'UTILISE SA VOITURE ! TU PEUX MÊME ALLER DEDANS.

TU ES BIEN SÛR, TOTO ?

TOUT À FAIT, MÊME QU'UN JOUR, IL A DIT QUE JE POURRAI QUITTER LE GARAGE !

Le goût et les couleurs

ALLEZ, TOTO, MANGE TES ÉPINARDS, S'IL TE PLAÎT !
VAS-Y, FABRICE, DIS-LUI QUELQUE CHOSE. IL M'ÉNERVE.
MA MAMAN ME DISAIT TOUJOURS : MANGE TES ÉPINARDS ET TU AURAS DE BONNES COULEURS AUX JOUES.
J'AURAI L'AIR FIN À L'ÉCOLE AVEC DES JOUES VERTES !

S'il a soif...

BON-PAPA, J'AI SOIF !
VA VOIR BONNE-MAMAN, ELLE PRÉPARE LE REPAS À LA MAISON.

BONNE-MAMAN, BONNE-MAMAN, J'AI SOIF !

JE VEUX UN VERRE DE LIMONADE, JE CRÈVE DE SOIF !
?

TOTO ! C'EST COMME ÇA QU'ON DEMANDE ?
JE VEUX UN VERRE DE LIMONADE, S'IIIL ...

... S'IIIIILLL...

... S'IL EN RESTE !
SNIF !

La feuille et le fruit

SUITE À NOTRE SÉJOUR EN FORÊT (*), JE VOUS AI DEMANDÉ DE FAIRE UNE RECHERCHE SUR LES ARBRES RENCONTRÉS.
éveil : les arbres

CHACUN VIENDRA PRÉSENTER LA FEUILLE ET LE FRUIT DE SON ARBRE !
CAROLE, TU COMMENCES !

JE VOUS PRÉSENTE UNE FEUILLE DE MARRONNIER ET SON FRUIT S'APPELLE LE MARRON.
le marronnier

VOICI UNE FEUILLE DE CHÂTAIGNIER ET SON FRUIT EST LA CHÂTAIGNE.
le châtaignier

CE SONT DES FEUILLES DE CHÊNE ET LEUR FRUIT EST LE GLAND !
le chêne

HOHO, TOTO, UNE FEUILLE BLANCHE !
J'AI OUBLIÉ DE FAIRE MON DEVOIR.

ET TU CONNAIS LE FRUIT DE CETTE FEUILLE ?

LE ZÉRO ?

(*) VOIR TOME 4.

Résumême

VOILÀ, LES ENFANTS, J'AI CORRIGÉ LES RÉSUMÉS DU LIVRE QUE VOUS AVEZ LU CE TRIMESTRE.
1/4
1/2
1/3
3/4

IGOR ! BRAVO ! CE N'ÉTAIT PAS FACILE DE RÉSUMER ROBINSON CRUSOÉ !
MERCI.
Les fractions
1/8
1/4
1/2
1/3
D U
1 0

TON TEXTE SUR L'HISTOIRE DU SPORT EST EXCELLENT, JUSTINE !
MERCI, MADAME.
D U
1 0

CAROLE, TON TEXTE SUR LA MODE EST TRÈS BIEN !
ARNOLD, TON HISTOIRE DE ZAZOU LE FOOTBALLEUR AURAIT PU ÊTRE MEILLEURE.
OLIVE, TU POUVAIS MIEUX FAIRE.

MAIS IL Y A UN MYSTÈRE QUE JE VOUDRAIS ÉCLAIRCIR ! COMMENT SE FAIT-IL QUE LE RÉSUMÉ DE TOTO SOIT LE MÊME QUE CELUI DE YASSINE ?

C'EST SIMPLE, MADAME, C'EST PARCE QU'ON A LU LE MÊME LIVRE !
LA PRE

Le ramasse-mots

MAMY, MAMY, SUR CELUI-LÀ, IL Y A TON NOM !

TIENS, PRENDS-LE !

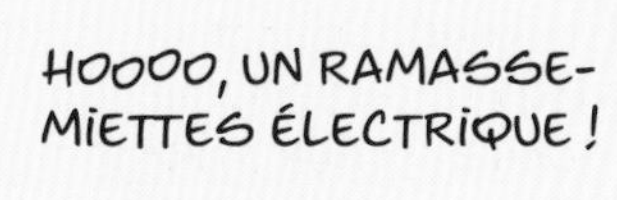
HOOOO, UN RAMASSE-MIETTES ÉLECTRIQUE !

FRANCHEMENT, JE NE TROUVE PAS LES MOTS POUR DIRE COMBIEN JE SUIS CONTENTE !

LA PROCHAINE FOIS, DEMANDE AU PÈRE NOËL UN DICTIONNAIRE !

DING
DONG

BONJOUR, MONSIEUR LE VOISIN ! QUE SE PASSE-T-IL ?

IL SE PASSE, MADAME, QUE VOTRE FILS NE CESSE DE M'IMITER QUAND JE SUIS DANS MON JARDIN !

TOTO ! COMBIEN DE FOIS NE T'AI-JE PAS DIT D'ARRÊTER DE FAIRE LE SINGE ?
?

J'ai perdu mon mouchoir

SNIiiiiRFL...
Me CHARIVARI
RESNIiiIRFL...
Me CHARIVARI
DIS, TOTO, TU N'AS PAS UN MOUCHOIR ?
?
OUI, MADAME, MAIS MAMAN NE VEUT PAS QUE JE LE PRÊTE !

Métier d'avenir

TU SAIS, BONNE-MAMAN, CE QUE JE FERAI COMME MÉTIER PLUS TARD ?
NON, TOTO, LEQUEL ?
?
JE SERAI INSTITUTEUR, COMME Mlle JOLIBOIS !
C'EST BIEN, MAIS TU DOIS ENCORE APPRENDRE BEAUCOUP DE CHOSES.
À MON AVIS, J'EN CONNAIS DÉJÀ BEAUCOUP, CAR Mlle JOLIBOIS N'ARRÊTE PAS DE ME POSER DES QUESTIONS !

La collecte

AVANT DE PARTIR POUR LA PISCINE,
JE VAIS VOUS APPELER POUR
QUE VOUS ME DONNIEZ LES
2,50 EUROS QUI PAIENT LE TRAJET.

OLIVE !
S'IL VOUS PLAÎT !
MERCI !

YASSINE !
VOILÀ, MADAME !
MERCI !

ARNOLD !
DÉSOLÉ, MAIS MAMAN N'AVAIT QUE DES PETITS CENTS.
SUPER !
GLING DIGLING

TOTO !
J'AI OUBLIÉ MES SOUS POUR LA PISCINE, MADAME.

TU M'APPORTERAS 2,50 EUROS DEMAIN.

POURQUOI, DEMAIN AUSSI ON VA À LA PISCINE ?

Le rangement du dérangé

ALLEZ, LES ENFANTS, PLUS VITE !
olympic-splatch
LES FILLES À GAUCHE ET LES GARÇONS DANS LE VESTIAIRE DE DROITE.
DÈS QUE VOUS ÊTES EN MAILLOT, VOUS VOUS RANGEZ DANS LE COULOIR !
QUELQUES MINUTES PLUS TARD.
ALLEZ, LES RETARDATAIRES, ON SE DÉPÊCHE !
MAIS OÙ TRAÎNE ENCORE TOTO ? MÊME À LA PISCINE, IL EST LE DERNIER !
MADAME, VENEZ ! J'AI UNE SURPRISE POUR VOUS.
?
?
VOUS DITES TOUJOURS QUE JE N'AI PAS D'ORDRE. REGARDEZ, J'AI RANGÉ TOUT LE VESTIAIRE. LES SLIPS ENSEMBLE, LES CHEMISES, LES CHAUSSETTES, CHAQUE CHOSE À SA PLACE !

Cours d'eau

BON, LES GNOMES, AVANT DE VOUS MOUILLER, JE VAIS VOUS PARTAGER EN DEUX GROUPES : LES NAGEURS ET LES CAILLOUX !
MAÎTRE NAGEUR

LÈVENT DONC LE DOIGT CEUX ET CELLES QUI SAVENT DÉJÀ NAGER !

MOI !
MOI !
MOI !
MOI !
MOI !
MOI !

OK, TOI, LE NAIN, OÙ AS-TU APPRIS À NAGER ?
?!

BEN, DANS L'EAU !

L'acoustique du loustic

AUJOURD'HUI, LES NAGEURS, NOUS ALLONS TRAVAILLER AFIN D'OBTENIR VOTRE BREVET DE SAUVETEUR. C'EST BIENTÔT LES GRANDES VACANCES, ÇA PEUT SERVIR !

POUR VOUS Y AIDER, VOICI BOB L'ÉPONGE, LE PLUS MAUVAIS NAGEUR DE LA PISCINE !

VOUS ALLEZ DONC PLONGER ET ME RAMENER BOB À LA SURFACE !
SPLOUITCH

DITES, MADAME GOSSEIN, ET S'IL NE VEUT PAS REMONTER ?

EH BIEN, LE NAIN, TU LE LUI DEMANDERAS POLIMENT.

COMMENT VOULEZ-VOUS QU'IL ME COMPRENNE ? IL AURA DE L'EAU DANS LES OREILLES !

Les affaires sont dans le sac

CLAP CLAP
DÉPÊCHEZ-VOUS DE DESCENDRE ! LE BUS DOIT ENCORE ALLER RECHERCHER DES ENFANTS À LA PISCINE !

MADAME, MADAME, J'AI OUBLIÉ MON SAC DANS LE BUS !
OH NON ! ET IL VIENT DE PARTIR !

C'EST PAS GRAVE, MADAME ! ON VA PLUS À LA PISCINE AUJOURD'HUI !
(GROS SOUPIR)

Apparemment à louer

VOILÀ, MONSIEUR, C'EST L'APPARTEMENT QUE VOUS CHERCHIEZ, SPACIEUX ET LUMINEUX !

80 M² PRÊTS À ACCUEILLIR VOTRE PETITE FAMILLE. VOUS VERREZ, C'EST UN VRAI PETIT NID DOUILLET.

ROUDOUMBRO
?

DITES-MOI, MONSIEUR, C'EST QUOI CE QU'ON VIENT D'ENTENDRE ?

OH, ÇA, CE N'EST RIEN QUE LE TRAIN QUI PASSE TOUT PRÈS D'ICI.

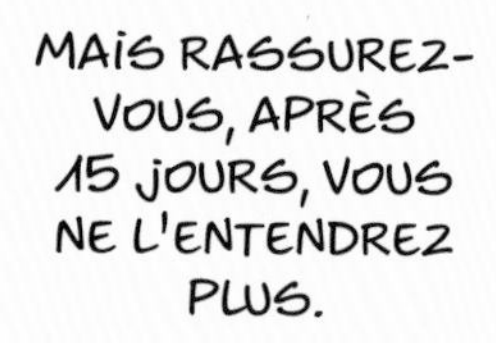
MAIS RASSUREZ-VOUS, APRÈS 15 JOURS, VOUS NE L'ENTENDREZ PLUS.

CE N'EST PAS GRAVE, PAPA, ON IRA DORMIR CHEZ MAMY PENDANT DEUX SEMAINES.

Rendez-vous, gars lent !

LUNDI, 16H00.
NON, TOTO, VU LE TRAVAIL QUE TU AS FAIT AUJOURD'HUI, TU RESTERAS PLUS LONGTEMPS EN CLASSE POUR RATTRAPER TON RETARD !
?
MARDI, 16H00.
NON, TOTO, VU LE TRAVAIL QUE TU AS FAIT AUJOURD'HUI, TU RESTERAS PLUS LONGTEMPS EN CLASSE POUR RATTRAPER TON RETARD !
MERCREDI, 12H00.
NON, TOTO, VU LE TRAVAIL QUE TU AS FAIT AUJOURD'HUI, TU RESTERAS PLUS LONGTEMPS EN CLASSE POUR RATTRAPER TON RETARD !
JEUDI, 16H00.
NON, TOTO, VU LE TRAVAIL QUE TU AS FAIT AUJOURD'HUI, TU RESTERAS PLUS LONGTEMPS EN CLASSE ...
POUR RATTRAPER MON RETARD, JE SAIS !
VENDREDI, 16H00.
NON, TOTO, VU LE TRAVAIL QUE TU AS FAIT AUJOURD'HUI, TU RESTERAS...
DITES, MADAME, J'AI UNE QUESTION À VOUS POSER !
À TOUJOURS RESTER EN CLASSE AVEC MOI, VOUS N'AVEZ PAS PEUR QUE VOTRE AMOUREUX SOIT JALOUX ?

Moquerire

OUINNNN !!
?

POURQUOI CES GROSSES LARMES, MON TOTO ?

C'EST FABRICE QUI S'EST DONNÉ UN COUP DE MARTEAU EN VOULANT METTRE UN CLOU DANS LA CUISINE !

IL NE FAUT PAS PLEURER POUR ÇA. C'EST RIRE QUE TU DEVRAIS FAIRE.

MAIS, MAMAN, C'EST JUSTEMENT CE QUE J'AI FAIT !

Le bête pense le pense-bête

?

NON SEULEMENT, TU N'ÉTUDIES PAS, MAIS EN PLUS TU UTILISES DES ANTISÈCHES !
?

JE NE TRICHAIS PAS, MADAME. C'EST MA MAMY QUI M'A DIT DE FAIRE CETTE LISTE !

ET EN PLUS, TU OSES ACCUSER TA MAMY !

MAIS C'EST ELLE QUI ME DIT TOUJOURS, QUAND ON FAIT DES COURSES, DE FAIRE UNE LISTE DE TOUTES LES CHOSES QU'ON DOIT PAS OUBLIER.

Bulles, tiens !

PAPA, JE SUIS RENTRÉ DE L'ÉCOLE !

ATTENDS, TOTO. LE 30 JUIN, ÇA RIME AVEC QUOI À TON AVIS ?
?

PRENDS TON BAIN OU... HEU, ÇA VA BIEN ?

ÇA RIME AVEC « PASSE-MOI TON BULLETIN » ! ALLEZ, PAR ICI !

VOILÀ, TU N'AS PAS PEUR DE LE LIRE, BRAVO !

(CRI D'EFFROI)

TU CONNAIS LA DIFFÉRENCE ENTRE CETTE CHOSE ET MA LIMONADE, TOTO ?
HEU...

CHERCHE PAS, IL Y A DES BULLES DANS LES DEUX !

Capacités laitières

DEBOUT, TOTO ! TU VEUX BIEN VITE ALLER ME CHERCHER DU LAIT À LA FERME VOISINE ?
G 150

MADAME, MADAME, ATTENDEZ-MOI !
?

MON PAPA M'A ENVOYÉ VOUS ACHETER UN LITRE DE LAIT DE VACHE.

MAIS TON POT EST BIEN TROP PETIT POUR UN LITRE DE LAIT DE VACHE !

DONNEZ-MOI ALORS UN LITRE DE LAIT DE CHÈVRE !

Vue plurielle

?

TU AS VU, PAPA, DES CHEVALS !
DES CHEVAUX, TOTO, CE SONT DES CHEVAUX !

MMMH...

C'EST BIZARRE, D'ICI JE CROYAIS QUE C'ÉTAIENT DES CHEVALS !

Le fruit du vol

?

ET ALORS, PETIT VOLEUR, JE T'Y PRENDS À MANGER MES FRAMBOISES !
GLOUPS !!

TU NE SAIS PAS QUE C'EST UNE PROPRIÉTÉ PRIVÉE ICI ?

J'AIMERAIS BIEN VOIR TON PÈRE, CAR J'AI DEUX MOTS À LUI DIRE SUR L'ÉDUCATION QU'IL TE DONNE.

PAPA, TU AS UNE MINUTE ? IL Y A UN MONSIEUR QUI VEUT TE PARLER !
?

Le jour d'après

SNIF, SNIIIF.
EH BIEN, LES ENFANTS, POURQUOI CE GROS CHAGRIN ?
ON PLEURE PARCE QUE LA JOURNÉE EST PRESQUE TERMINÉE.
ALLEZ, NE VOUS INQUIÉTEZ PAS, VOUS AUREZ L'OCCASION DE VOUS AMUSER AUSSI DEMAIN !
ÇA ! ÇA M'ÉTONNERAIT ! DEMAIN, C'EST LA RENTRÉE DES CLASSES !
COPPÉE 02/07.